PFERDE
MEIN HOBBY

Hans D. Dossenbach

Pferde

Mein Hobby

Kinderbuchverlag Luzern

Die Deutsche Bibliothek — CIP-Einheitsaufnahme
Dossenbach, Hans D.:
Pferde, mein Hobby / Hans D. Dossenbach. — 3. Aufl. —
Luzern: Kinderbuchverlag, 1993
ISBN 3-276-00104-7
NE: HST

Seite 2: Frische Luft, Bewegung und Gesellschaft — so leben Pferde zufrieden und gesund.
Seite 3: Das Wiehern kann Angst und Freude ausdrücken, aber immer ist es ein Zeichen, daß das Pferd Kontakt sucht, zu Artgenossen oder zu dir.
Titelbild: Wenn du dein Pony wirklich verstehen willst, mußt du sein natürliches Wesen und sein angeborenes Verhalten kennen.

Oben: Meine Töchter Kim mit der Shettystute Gipsy (links) und Nina mit dem Welshponyfohlen Troll (rechts), die hier vor Jahren ihre ersten Pferdekontakte knüpften. Ihnen und allen anderen, die Pferde wirklich verstehen möchten, ist dieses Buch gewidmet.

Inhalt

3. Auflage 1993
© 1991 by Kinderbuchverlag KBV Luzern AG

Fachliche Beratung: Mirjam und Thomas Frei
Lektorat: Heidrun Flüeler
Bild Seite 32/33: Archiv MVG, Luzern

Filmherstellung: Lanarepro, Lana/Meran
Satz: F. X. Stückle, Ettenheim
Druck: Rotolito Lombarda, Pioltello/Mailand

Bestellnummer 1900104

Aufgalopp

Am langen Zügel im Gelände – was gibt es Schöneres? Damit so etwas aber auch wirklich ein problemloser und ungefährlicher Genuß ist, mußt du nicht nur schon ziemlich sattelfest sein, sondern auch ein gut ausgebildetes Reittier haben, dem du voll vertrauen kannst.

Meine erste Begegnung mit Ponys hatte ich im Zirkus, in der Tierschau. Ein halbes Dutzend Shetlandponys wurde da im Kreis herumgeführt, bedrängt von zahlreichen Kindern, die reiten wollten. Endlich war es dann soweit: Meine Mutter hob mich in den Sattel eines kleinen Schecken. Ein bißchen Angst hatte ich natürlich auch dabei, vor allem aber ein unbeschreibliches Glücksgefühl.

Ich erinnere mich heute noch an dieses Erlebnis, als wäre es gestern gewesen, dabei ist es an die 45 Jahre her. Meine Zuneigung zu Pferden – insbesondere zu Ponys – ist bis zum heutigen Tag geblieben. Ich habe später selbst viele Jahre lang Ponys gehalten, gezüchtet und geritten. Heute bin ich froh über alles, was ich dabei gelernt habe, denn nun sind meine Töchter Nina und Kim soweit, daß sie ihre eigenen Ponys haben wollen. Natürlich überhäufen sie mich mit Fragen, Wünschen und Problemen. Und weil ja wohl auch dich und noch viele andere Kinder die gleichen Wünsche und Fragen bewegen, habe ich dieses Buch geschrieben. Denn Ponys sind zwar verhältnismäßig «pflegeleicht», aber man muß doch einiges über diese Tiere wissen, bevor man sich eines davon in den Stall holt, sonst gibt's sehr schnell Ärger. Ponys und Pferde leben nun schon seit langer Zeit mit dem Menschen zusammen, aber bis heute sind sie Ponys und Pferde geblieben. Sie sind Tiere mit ganz bestimmten Ansprüchen und Fähigkeiten, und nur wenn du die kennst, wirst du glücklich mit deinem Pony oder deinem Pferd.

Die Geschichte des Menschen hätte ohne das Pferd bestimmt ganz anders ausgesehen. Während 5000 Jahren war es das wichtigste Transportmittel. Es zog Kriegswagen und Kanonen, trug

Reiterheere auf ihren Eroberungszügen in ferne Länder, aber es zog auch den Pflug, den Bauernwagen, die Postkutsche, die Karren der Händler und die Karossen der Könige. Doch in der Mitte unseres Jahrhunderts hatte es seine einst so unvergleichlich wichtige Rolle in der sogenannten zivilisierten Welt beinahe ausgespielt. Maschinen übernahmen seine Arbeit. Viele große Gestüte, auf denen Arbeits- und Militärpferde gezüchtet worden waren, wurden geschlossen. Die fortschreitende Technisierung machte diese Pferde überflüssig. Ein bekannter Pferdefachmann schrieb damals, daß man in 25 Jahren Pferde nur noch im Zoologischen Garten bewundern könne. Die 25 Jahre sind inzwischen vergangen, aber der Fachmann hat nicht recht behalten – zum Glück. Die Technisierung, die das Pferd vertrieb, hat nämlich auch zum Wohlstand geführt. Die Leute verdienen heute mehr Geld als früher und haben mehr Freizeit. Reiten ist nicht mehr ein Luxus, den sich nur die

5

Reichsten leisten können. Die Pferdezucht begann erneut aufzublühen. Das Pferd kam wieder in Mode, diesmal nicht mehr als Karren-, Acker- oder Schlachtgaul, sondern als Gefährte für Sport und Freizeit.

Etwa 25 Jahre ist es auch her, daß sich eine neue Form des Reitens auszubreiten begann. Damals überlegten sich einige Leute ernsthaft, ob die althergebrachte Art, mit Pferden umzugehen, ob der traditionelle Reitstil das Richtige sei. Ob die üblichen Pferdesportarten wie das Springen oder das Dressurreiten zum Beispiel überhaupt pferdegerecht seien. Diese Leute suchten nach Möglichkeiten, auf eine natürlichere Art mit Pferden umzugehen, auf eine Art, die dem Wesen und den Bedürfnissen dieser Tiere besser entsprechen. Dabei entstanden auch neue Ausdrücke wie «Familienpferd», «Freizeitreiten» und «Robusthaltung».

Zur gleichen Zeit entdeckte man bei uns auch, daß es außer den Shettys für die jüngsten Reiter auch noch andere Ponys gibt, Rassen nämlich, die sich für die ganze Familie eignen. Die Islandponys waren es am Anfang vor allem. Zuerst wurden die struppigen Pferdchen aus dem Norden von den «Herrenreitern» noch belächelt, aber ihr Siegeszug war nicht mehr aufzuhalten. Sie haben nämlich den Großpferden einiges voraus: Sie sind anspruchsloser, weniger anfällig für Krankheiten und Beinverletzungen, einfacher und billiger in der Haltung und dabei ausgezeichnete Reittiere für Ausritte in die Natur.

Die Isländer blieben nicht allein. Andere «Freizeitrassen» kamen dazu: falbfarbene Fjordponys aus Norwegen, blondschöpfige Haflinger aus Tirol, Mazedonier und Bosniaken aus Jugoslawien und noch weitere bisher kaum bekannte Ponys.

Der Reitstil der Cowboys, das «Westernreiten», wurde als besonders gut geeigneter Stil für das Geländereiten erkannt. Und damit kamen auch Pferde aus Amerika: Quarter Horses, gescheckte Pintos, gefleckte Appaloosas. Auch sie werden inzwischen bei uns schon fleißig weitergezüchtet.

Ich möchte ein Pferd

Ob Isländer (unten) oder Maultier (ganz rechts): Liebenswert sind sie alle, aber sie alle wollen auch richtig verstanden und fachgerecht behandelt werden.

Sicher träumst auch du, wie unzählige andere, vom eigenen Pony oder Pferd. Aber bevor man sich einen solchen Traum erfüllt, muß man sich ein paar Dinge gründlich überlegen. So ein Tier braucht nicht nur Heu, einen soliden Stall mit Auslauf und, wenn irgend möglich, eine Weide; es muß auch versorgt und gepflegt werden. Jeden Tag, jahraus, jahrein, bei jedem Wetter und über lange Zeit – viele Ponys werden über 30 Jahre alt. Auch wenn ein Pony im Unterhalt drei- bis fünfmal billiger ist als ein Großpferd, kostet es doch einiges: Sattel, Zaum, Halfter und Putzzeug muß man anschaffen, Futter muß man kaufen, den Hufschmied, Impfungen, Wurmkuren bezahlen ... Und noch etwas ganz Wichtiges: Ponys wie auch Großpferde sind Herdentiere und brauchen unbe-

Tag selbst fütterst und versorgst. Es gibt aber auch noch andere Möglichkeiten. Man kann sein eigenes Pony in einem Pensionsstall unterbringen. Dabei ist ein Ponyhof mit Offenstall und Weide viel besser und erst noch billiger als ein gewöhnlicher Reitstall, in dem die Pferde in Boxen oder gar im Stand angebunden gehalten werden.

dingt Gesellschaft. Wenn irgend möglich, sollten sie mit anderen Artgenossen zusammen gehalten werden oder sonst mit einem (billigeren) Esel. Zur Not täte es auch eine Ziege; manchmal werden Ziegen und Pferde sogar dicke Freunde.
Alle diese Probleme hast du nicht, wenn du in einem Reitstall oder Ponyhof auf geliehenen Tieren reitest, aber du hast dann halt auch nicht das innige Verhältnis wie zu einem Tier, das du jeden

Manchmal schließen sich auch mehrere Pony- oder Pferdebesitzer zusammen und halten ihre Tiere auf einem gemeinsam gepachteten oder gekauften Grundstück. Dadurch werden die Kosten geringer, man kann sich die Arbeit teilen und hat auch jemanden, der das Pony versorgt, wenn man einmal verreist, krank ist oder keine Zeit hat. Also: Nur nichts überstürzen, sonst kann es wirklich schiefgehen.

Was ist Robusthaltung?

Ein solider Unterstand mit Auslauf, wo sich Pferde und Ponys das ganze Jahr hindurch gemeinsam und frei bewegen können wie hier auf diesen beiden Bildern, ist die beste Garantie für gesunde und zufriedene Tiere.

Pferdehaltung auch Robusthaltung. Die Kälte macht den Tieren nichts aus. Im Herbst wächst ihnen zum Schutz ein warmer Winterpelz. Stickige Stalluft hingegen ertragen sie schlecht. Von den Ammoniakdämpfen, die durch den Urin entstehen, kann es zur Dämpfigkeit und anderen lebensgefährlichen Lungenkrankheiten kommen. Beson-

Wahrscheinlich sitzt du bei kaltem Wetter am liebsten in der warmen Stube. Aber wenn du nun glaubst, daß auch dein Pferd im Winter am liebsten in einem warmen, geschlossenen Stall steht, bist du auf dem Holzweg – obschon die meisten Pferde heute noch so gehalten werden.

Ponys und Pferde fühlen sich eindeutig am wohlsten in einem Offenstall mit Auslauf, und für ihre Gesundheit gibt es nichts Besseres. Alle Rassen sind robust genug, das ganze Jahr hindurch im Freien zu leben, daher nennt man diese Art von

ders empfindlich darauf sind gerade die robustesten Pferde, nämlich die Ponys aus dem Norden. Wo Pferde in einem Offenstall mit Auslauf gehalten werden, kannst du beobachten, daß sie kaum vor der Kälte im Stall Schutz suchen. Oft bleiben sie sogar bei eisigen Stürmen im Freien, drehen ihr Hinterteil dem Wind zu und lassen sich die Schneeflocken um die Ohren blasen. An heißen Sommertagen hingegen sind sie dankbar, wenn sie sich an den Schatten stellen können, wo sie auch von den Bremsen weniger geplagt werden.

Ein guter Offenstall ist ein Unterstand, der auf drei Seiten geschlossen und gegen Osten oder Süden offen ist. Oft ist bereits ein Gebäude vorhanden, ein alter Stall, eine Scheune oder ein Schuppen. Da ist es natürlich einfacher und billiger umzubauen, anstatt einen ganz neuen Stall aufzustellen. Auch hier sollte man aber eine Wand oder

mal ist es sogar angebracht, die Tiere während des Fressens anzubinden, weil sonst das ranghöhere Tier das schwächere dauernd vom Futter verjagt. Oft bewähren sich Abschrankungen zwischen den Futterplätzen. Dazu genügt meistens schon eine waagerecht, auf Brusthöhe der Pferde an zwei Ketten aufgehängte Holzstange.

wenigstens einen großen Teil davon entfernen. Geht das nicht, muß mindestens die obere Hälfte der Stalltür oder ein großes Fenster immer offen sein, Sommer und Winter, Tag und Nacht.
Der Stall sollte wenigstens drei Meter tief und pro Pony zwei Meter breit sein. So sehr Pferde die Gesellschaft von Artgenossen brauchen und so dicht sie oft beisammen stehen, müssen sie doch mindestens beim Füttern Platz um sich herum haben, denn sie sind futterneidisch. Normalerweise muß man jedes Pferd separat füttern, und manch-

Für das Futter gibt es dreieckige Tröge aus Kunststoff, die man in den Stallecken anschraubt. Manche Pferde machen sich einen Sport daraus, daran herumzuspielen, und ruinieren die Tröge innerhalb weniger Monate. Besser ist es daher, der ganzen Rückwand des Stalles entlang, einen halben Meter über dem Boden, einen Trog aus starken Brettern zu zimmern, der etwa 40 Zentimeter breit und 30 Zentimeter hoch ist. Da drin kann man auch das Heu füttern. Das ist besser als eine an der Wand angebrachte Heuraufe. In der Natur nehmen die Pferde die Nahrung vom Boden auf. Den Kopf beim Fressen stundenlang in die Höhe zu halten, ist daher sicher ungesund. Außerdem kommt es nicht selten vor, daß sich die Pferde an hervorstehenden Heuhalmen die Augen verletzen. Zudem kommt ihnen Staub in die Augen und in die Atemwege.

Das Dach soll schräg sein, hinten drei und vorn wenigstens zwei Meter hoch. Vorn soll es etwa einen Meter weit vorspringen, damit der Regen nicht in den Stall schlägt und das Stroh naß macht. Der Auslauf vor dem Stall braucht einen sehr starken Zaun; Auch hier scheuern sich die Pferde. Ein Naturboden würde sich bei nassem Wetter in kür-

Oben: Die Kälte macht den Fjordponys (links) und den Shetländern (rechts) ebensowenig aus wie jedem anderen Pony oder Pferd, das daran gewöhnt ist.

Der Stall und alles, was darin ist, muß sehr solide sein. Die Pferde spielen, beknabbern alles, scharren mit den Hufen, scheuern sich an den Stallwänden und entwickeln dabei einen erstaunlichen Druck. Eine aus Kistenbrettern zusammengenagelte Hütte würde dabei sehr bald zusammenbrechen. Man verwendet daher als Eckstützen etwa 15 Zentimeter dicke Pfosten, die man etwa einen Meter tief in den Boden versenkt. Die Bretter, aus denen man die Wände herstellt, müssen mindestens 25 Millimeter dick sein.

zester Zeit in einen knöcheltiefen Morast verwandeln. Man muß daher den Boden mindestens 50 Zentimeter tief ausheben, mit Kies auffüllen und mit einer Sandschicht zudecken. So kann das Regenwasser schnell versickern. Pflegeleichter, aber für die Pferde etwas weniger angenehm ist Beton oder ein Belag aus Verbundsteinen.

Die Weide

Connemaraponys in Irland. Von so riesigen Weiden, wie man sie in Connemara noch sieht, können die meisten von uns nur träumen. Aber es geht auch bescheidener – besonders, wenn man die Tiere durch tägliches Reiten beschäftigt.

nen, brauchen sie etwa ein Hektar – 10000 Quadratmeter – Land. Hat man keine so große Fläche zur Verfügung, kann man die Tiere auch nur eine oder zwei Stunden täglich weiden lassen und Heu zufüttern. Das ist immer noch viel besser als gar keine Weide. Auf jeden Fall sollte man die Weide in mindestens drei Parzellen aufteilen, die

Wer züchten will, braucht unbedingt eine Weide. Bewegung und Grünfutter sind für die Entwicklung der Knochen, Muskeln und Organe der Fohlen enorm wichtig.

Für erwachsene Pferde und Ponys geht es auch ohne Weide, besonders wenn sie täglich geritten werden – aber auch für sie ist der tägliche Weidegang das Gesündeste und erst noch die billigste Fütterung.

Damit sich zwei mittelgroße Ponys einen ganzen Sommer lang nur von der Weide ernähren kön-

man abwechselnd nicht zu kurz abweiden läßt. So kann sich das Gras ständig wieder erholen.

Ganz wichtig ist, daß der Übergang vom winterlichen Heufutter zum Weidegang im Frühling langsam erfolgt. Zuerst läßt man die Tiere täglich nur etwa eine halbe Stunde weiden und verlängert dann allmählich die Weidezeit. Durch eine zu schnelle Umstellung auf das frische Gras können lebensgefährliche Krankheiten wie Koliken, Hufrehe oder Kreuzverschlag entstehen. Auch im Winter kann man die Tiere gelegentlich auf die

Weide lassen, aber nur wenn genügend Schnee liegt und kein Morast entsteht. Sonst werden die Wurzeln beschädigt, und das Gras kann später nicht mehr nachwachsen.

Es gibt einige für Pferde lebensgefährliche Pflanzen, die sie zwar in der Regel instinktiv meiden – aber manchmal naschen sie doch davon. Das sind:

Von den teuren Weidezäunen, wie wir sie etwa auf Vollblutgestüten finden, können die meisten von uns nur träumen. Es braucht dazu mindestens 12 Zentimeter dicke Pfähle, die in Abständen von höchstens drei Metern wenigstens einen Meter tief in den Boden versenkt werden. Sie werden mit zwei bis drei starken Querlatten verbunden.

Schneeglöckchen, Maiglöckchen, Herbstzeitlosen, Akazien, Buchsbaum, Thuya und vor allem Eiben. Diese Pflanzen muß man aus der Weide entfernen – und auch auf Ausritten unbedingt meiden.

_____

Sie sehen nie einen Stall und sind weitgehend sich selbst überlassen: die Dülmener «Wildpferde» in Norddeutschland (ganz oben) und die «Wilden Ponys» von der Insel Assateague in Amerika (oben). Die jungen Lipizzanerpferde (rechts) hingegen leben wohlbehütet in einem Gestüt.

Ein Elektrozaun mit einem Draht, wie er für Kuhweiden verwendet wird, reicht für Ponys und Pferde nur als Übergangslösung und ist nie ausbruchsicher. Ungenügend sicher sind auch die preiswerten Elektroweidenetze für Schafe. Besser ist ein Zaun aus Drahtknotengitter. Gelegentlich kommt es aber vor, daß sich Pferde daran ein Bein verletzen oder gar brechen. Sehr gut und verhältnismäßig günstig sind Elektrozäune aus zwei gespannten Elektro-Zaunbändern. Das sind breite, farbige Bänder mit eingewobenen Drähten. Wer ganz sichergehen will, stellt einen leichten und daher wesentlich billigeren Holzzaun auf und sichert diesen mit einem oder zwei Elektro-Zaunbändern.

Eine Weide braucht auch Pflege. Man muß beispielsweise möglichst oft den Kot einsammeln, denn darin befinden sich Wurmeier. Die Wurmlarven, die aus diesen Eiern schlüpfen, kriechen am Gras hoch und werden beim Weiden verschluckt (siehe Wurmbefall im Kapitel «Vorbeugen ist besser» auf Seite 33). Manche Stellen werden von den Pferden nicht abgeweidet. Diese mäht man von Zeit zu Zeit mit der Sense, läßt das Gras trocknen und verfüttert es als Heu. Sehr vorsichtig muß man mit Dünger umgehen. Völlig ungeeignet für Pferdeweiden sind Stickstoffdünger. Sie erzeugen leuchtend grüne, fette Wiesen, welche die Bauern zwar gern haben, bei Pferden jedoch zu gefährlichen Krankheiten führen können. Pferde und Ponys brauchen nährstoffarmes, rohfaserreiches, mageres Gras. Wenn man trotzdem düngen will, um einen besseren Graswuchs zu haben, eignet sich gut verrotteter, mindestens sechs Monate gelagerter Stallmist, der im Spätherbst auf die Weide verteilt wird. Ebenfalls ein guter Dünger ist Algenkalk. Er wird zeitig im Frühjahr auf die Weide gestreut.

Welshponystute mit Fohlen (oben) und zweijährige Araber (rechts). Zur Aufzucht geht es nicht ohne reichlich Weideland. Außerdem brauchen junge Pferde die Gesellschaft von Altersgenossen. Nur so können sie sich gesund entwickeln.

Über Pflege und Umgang

Zucker ist für Pferde genauso ungesund wie für dich. Äpfel, Karotten oder hartes Brot schmecken ihnen genauso gut. Solche Leckerbissen solltest du nicht aus der Hand füttern: Die Tiere nehmen sonst leicht unangenehme Gewohnheiten wie Beißen an.

auskommen, andere brauchen zehn. Das hängt von der Größe des Tieres, von seinem Energieverbrauch, von der Leistungsfähigkeit seines Gebisses und der Verdauungsorgane sowie vom Nährwert des Heus ab. Besonders im Winter schätzen die Tiere als Zusatz zum Heu saftiges Futter wie Äpfel, Karotten oder Gemüseabfälle.

Manche Pferde und vor allem sehr viele Ponys bei uns sind überfüttert. Sie haben eine Speckschicht auf den Rippen, die nicht nur die Schönheit, sondern auch die Leistungsfähigkeit beeinträchtigt. Es gibt einen einfachen Trick, um herauszufinden, ob die Futtermenge richtig ist: Du sollst die Rippen spüren, aber nicht sehen.

Nur tragende und säugende Stuten sollten den ganzen Tag weiden können. Sonst genügen auf einer normalen Weide etwa sechs Stunden für Großpferde und etwa vier bis fünf Stunden Weidegang täglich für Ponys. Das Weiden teilt man am besten in einen kürzeren Gang am Morgen und einen längeren gegen Abend auf.

Wenn Pferde oder Ponys nicht mindestens eine Stunde täglich geritten werden, brauchen sie kein Kraftfutter. Gras genügt dann vollkommen als Erhaltungsfutter. Daneben brauchen sie nur einen Mineralleckstein und Wasser.

Im Winter ist die Grundnahrung Heu. Man kann unmöglich sagen, wieviel Heu ein Pony am Tag braucht. Es gibt Tiere, die mit vier Kilogramm

Schlimmer als Überernährung ist falsche Ernährung. Besonders Ponys sind von Natur aus auf rohfaserreiches, nährstoffarmes Futter eingerichtet. Eine zu eiweißreiche Ernährung kann nicht nur zu Temperamentsausbrüchen, sondern auch zu lebensgefährlichen Erkrankungen führen. Kraftfutter sollte daher nur gefüttert werden, wenn das Tier wirklich arbeiten muß — wenn es mindestens eine Stunde täglich zügig geritten oder zum Beispiel auf Wanderritte und Distanzritte trainiert wird. Bei leichterer Arbeit gibt man pro Pony höchstens ein Kilogramm, in vollem Training bis etwa zwei Kilogramm Hafer, einem Großpferd etwa zwei bis vier Kilogramm Hafer täglich. Anstelle von Hafer kann man auch Kraftfutterwürfel geben. Sie haben aber den Nachteil, daß ihr Vitamingehalt nach ein paar Monaten abnimmt. Außerdem können sie bei falscher Lagerung verderben und dadurch für Pferde tödlich giftig werden. Grundsätzlich solltest du dein Pony oder Pferd nie aus der Hand füttern. Auch wenn du es nach einer guten Leistung mit einem Leckerbissen belohnen willst, mit einem Apfel, einem harten Stück Brot oder einer Handvoll Hafer, dann nimm immer einen Eimer dazu. Handgefütterte Tiere neigen zum Betteln, nehmen oft unangenehme Gewohnheiten an oder beginnen sogar zu beißen, wenn sie einmal nichts kriegen. Nebenbei gewöhnen sich die Tiere sehr bald an ihren Leckerbissen-Eimer. Reißt dein Pferd einmal aus der Weide aus oder hat es keine Lust, von der Weide zu kommen und sich satteln zu lassen, kannst du es mit einer Handvoll Hafer im Eimer in der Regel problemlos heranlocken.

Putzen bedeutet sehr viel mehr als einfach das Saubermachen des Pferdes. Es ist der erste Schritt im Umgang mit dem Tier. Sicher hast du schon beobachtet, wie zwei Pferde auf der Weide einander begrüßen, beschnuppern, einander gegenseitig den Rücken und Widerrist beknabbern. «Soziale Körperpflege» nennt man das. Die Tiere kraulen einander an Körperstellen, die sie mit den eigenen Zähnen nicht erreichen können. Und dabei geschieht etwas ganz Wichtiges: Sie zeigen damit, daß sie einander mögen und vertrauen. Genau das gleiche passiert beim Putzen. Du und das Pferd, ihr lernt einander kennen und vertrauen. Und beim Umgang mit Pferden ist nichts wichtiger als das gegenseitige Vertrauen.

Und noch etwas ist von großer Wichtigkeit: Du mußt wissen, daß ein Pferd ein Pferd ist und nicht wie ein Mensch denken kann. Das Pferd ist von Natur aus ein geselliges Tier, das in der Wildnis ständig vor Raubtieren auf der Hut sein muß. Sei-

Pferde fressen von Natur aus am Boden. Futtertröge, Raufen und Heunetze sollten daher ebenfalls niedrig angebracht werden – du hast es ja beim Essen auch gern bequem.

ne stärkste Waffe ist die schnelle Flucht, und nur in der Gemeinschaft fühlt es sich sicher und wohl. Das Leben in der Herde erfordert eine soziale Rangordnung mit einem Leittier. Dieser Anführer braucht nicht das kräftigste Tier in der Herde zu sein. Viel wichtiger ist ein selbstbewußter Charakter, ein bestimmtes, sicheres Auftreten. Nur dank

auch einmal einen Gertenhieb. In der Regel aber lernt das Pferd gern, es nimmt unsere Hilfen – so nennt man die Befehle, die man dem Pferd mit der Stimme, den Beinen, der Gewichtsverlagerung und den Zügeln vermittelt – willig an. Wichtig ist, daß wir vom Pferd nie mehr verlangen, als es begreifen kann. Das erste Gebot bei der Ausbil-

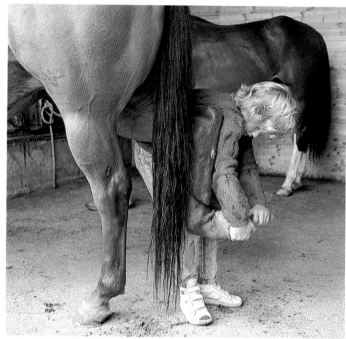

Beim Putzen und Hufausräumen, beim Satteln, Zäumen und Führen des Pferdes stellst du bereits einen wichtigen Kontakt her.

dieser Eigenschaft können auch wir mit Pferden umgehen: Durch ruhiges, sicheres und bestimmtes Auftreten können wir die Rolle des «Leittieres» spielen. Das Pferd hält uns für den «Stärkeren» und fügt sich unserem Willen. Ist aber unser Benehmen zaghaft, kann es seinen Respekt verlieren und sehr bald mit uns machen, was es will.

Manche Reiter verschaffen sich den Respekt durch Prügel. Dadurch verlieren sie das Vertrauen des Tieres. Es gehorcht nur noch aus Angst. Das ist keine Grundlage für eine Partnerschaft. Natürlich muß das Pferd gehorchen, und gelegentlich braucht es Strenge, einen scharfen Zuruf oder

dung und beim Training heißt daher: Geduld und Einfühlungsvermögen. Und mit Lob, mit Streicheln und einem Leckerbissen erreichst du bestimmt mehr als mit Strafen.

Aus Büchern kannst du eine ganze Menge lernen, aber noch wichtiger ist die praktische Erfahrung. Erst wenn du dich gründlich und über längere Zeit

Ausritt und räumt ihm dabei auch die Hufe aus. Auch nach dem Ritt werden die Hufe nach eingetretenen Steinen kontrolliert. Es wäre aber falsch, das Pferd täglich auf Hochglanz zu polieren. Wenn es im Offenstall lebt, darf man ihm nicht alles Fett aus dem Fell bürsten, denn dieses Fett stößt das Wasser ab und verhindert, daß das Pferd

mit Pferden und Ponys beschäftigst, wenn du sie herumführst, fütterst und putzt, auf Ausritten und auf der Weide beobachtest, wirst du allmählich mit ihrem Wesen vertraut. Erst dann kannst du ans eigene Pferd denken – sonst wirst du unweigerlich bald große Probleme haben.

Die eigentliche Körperpflege des Pferdes bereitet keine Schwierigkeiten. Auf jedem guten Ponyhof, in jeder vernünftig geführten Reitschule lernst du bald, mit Striegel und Bürste, mit Mähnenkamm, Putzschwamm und Hufräumer umzugehen. Selbstverständlich putzt man sein Pferd vor jedem

Pferde brauchen die Gesellschaft von Artgenossen – oder Menschen. Je öfter du dich mit deinem Pferd oder Pony abgibst, desto mehr wächst das gegenseitige Vertrauen. Und ohne Vertrauen geht es nicht.

beim kleinsten Schauer bis auf die Haut naß wird. Mähne und Schweif sollten nie kurzgeschnitten werden, denn auch sie bilden einen natürlichen Schutz. Auch die Seitenhaare am Schweifansatz, die Haarbüschel an den Fesseln und die Haare in den Ohren lassen wir stehen, denn sie alle haben eine natürliche und wichtige Schutzfunktion –

sich an den nackten Hufsohlen keine Schneestollen bilden können. Manche Reiter lassen ihre Pferde nur vom Frühling bis in den Spätherbst beschlagen, auch das ist eine Möglichkeit. Den Hufschmied brauchst du aber auf jeden Fall, denn unbeschlagene Hufe müssen etwa alle zwei Monate fachmännisch nachgeschnitten werden.

auch wenn sie bei Stallpferden heute noch nach alter Tradition abgeschnipselt werden.
Wenn du häufig und auf hartem Boden reitest, mußt du das Pferd etwa alle sechs bis acht Wochen frisch beschlagen lassen. Reitest du aber keine großen Distanzen und hauptsächlich auf Feld- und Waldwegen, kannst du es ohne Hufbeschlag versuchen. Das «Barfußlaufen» ist nicht nur viel billiger, sondern auch sicherer. Ohne Eisen an den Hufen haben Ponys und Pferde eine größere Trittsicherheit, besonders im Winter, weil

Eine Wohltat nach einem sommerlichen Ritt: Beine abkühlen. Dazu braucht es nicht unbedingt einen Fluß – ein Wasserschlauch tut's auch.

In den Sattel

beiden Methoden gesagt. Beide Stile haben ihre Vorteile, keinen kann man besser als den anderen nennen – es kommt nur darauf an, was man von seinem Pferd will.

Der klassische europäische Stil – man nennt ihn auch englischen Stil, obschon die Italiener, Franzosen und andere Europäer genauso an seiner Ent-

Wer oft den ganzen Tag im Sattel sitzt wie etwa ein Cowboy, muß ein zuverlässiges Pferd und einen für beide Teile möglichst bequemen Sattel und Reitstil haben. Aus diesen Bedürfnissen hat sich das Westernreiten entwickelt.

Ein mongolischer Steppenreiter reitet ganz anders als ein Bauer in Island, ein argentinischer Gaucho ganz anders als ein Springreiter in Europa. Es gibt also ganz unterschiedliche Reitmethoden. Doch uns interessieren hier nur jene zwei Reitstile, die für uns wichtig sind: der europäische Stil und der Westernstil.

In der Pferdefachsprache Europas sagt man: «Das Pferd wird gearbeitet.» Im Westen Amerikas hingegen wird «mit dem Pferd gearbeitet». Mit diesen zwei Sätzen ist bereits das Wichtigste über die

wicklung beteiligt waren – ist in der Reitbahn entstanden und in erster Linie für die Reitbahn geeignet. Der Westernstil hingegen wurde bei der Arbeit mit Pferden im Gelände entwickelt. In seinen Grundzügen entstand er schon vor über tausend Jahren in Spanien und wurde von den Spaniern nach Amerika gebracht. Der Westernstil ist eindeutig die bessere Methode für das Reiten im Gelände.

Wenn man in Wildwestfilmen Cowboys und Viehdiebe in halsbrecherischen Galoppaden über Steilhänge hinunterpreschen sieht, hat man den Eindruck einer sehr rauhen Reitmethode. Dieser Eindruck täuscht. Darum wird der Westernstil auch heute noch in Europa ganz falsch verstanden. Viele Leute glauben, wer einen Westernsattel auf sein Pferd legt, einen breitkrempigen Cowboyhut aufsetzt und verwegen durch die Landschaft galoppiert, sei ein Westernreiter. Das ist ein großer Irrtum. Um ein wirklicher Westernreiter zu werden, braucht es eine genauso sorgfältige und fachmännische Ausbildung wie im europäischen Stil. Ebenso ist die Ausbildung eines Westernpferdes eine anspruchsvolle Geduldsarbeit. Ein Cowboy rechnet mit vier bis sechs Jahren, bis ein junges Pferd alles gelernt hat, was es bei seiner Arbeit können muß. Auch hier erreicht man also nichts «auf die Schnelle».

Zuverlässigkeit ist das erste Gebot

Manchem europäischen Reiter geht es in erster Linie darum, das Pferd möglichst ohne Hindernisfehler über einen Springparcours zu bringen. So mancher Ritt gleicht eher einem Zweikampf zwischen Reiter und Pferd als einer harmonischen Zusammenarbeit. Oft werden von ehrgeizigen Reitern heute noch Methoden angewandt, die reine Tierquälerei und daher auch verboten sind.

Trense
Das einfachste «Gebiß», meistens mit einem gebrochenen Metall-Mundstück. Allgemein gebräuchlich in Europa.

Kandare
Das gebräuchlichste «Gebiß» oder Mundstück in der Westernreiterei. Durch die seitlichen Hebel kann größerer Druck auf das Maul ausgeübt werden.

Hackamore
Hervorragend zur Ausbildung im Westernstil geeignete Zäumung ohne Mundstück – nicht zu verwechseln mit der mechanischen Hackamore.

Oben: Kim reitet mit Vorliebe auf dem blanken Rücken. Das gibt zwar einen guten Sitz, ist aber nicht ganz ungefährlich und nur für kürzere, ruhige Ausritte zu empfehlen. Ein guter Sattel gibt viel größere Sicherheit.

Linke Spalte: Die drei wichtigsten Zäumungsarten – die es allerdings in einer großen Menge von Variationen gibt.

Häufig werden solche Reiter auch noch bewundert, weil sie scheinbar mit besonders schwierigen Pferden «fertig werden», obwohl diese Pferde in Wirklichkeit schlecht ausgebildet oder durch falsche Ausbildung und Behandlung verdorben sind.

Ein Cowboy – und eben auch ein echter Westernreiter – erwartet aber von seinem Pferd etwas ganz anderes. Er will ein Reittier, das in jeder Situation problemlos «funktioniert», das auf das leiseste Signal des Reiters sofort reagiert und gar nicht den Wunsch verspürt, sich zu widersetzen. Das fängt schon beim Aufsitzen an. Ein gutes Westernpferd rührt sich dabei nicht vom Fleck, bis der Reiter es will. Es gerät nicht bei jedem auffliegenden Papierfetzen in Panik, weil es in der Ausbildung an überraschende und beängstigende Gegenstände und Geräusche gewöhnt wurde. Oder es bleibt nach dem Absteigen mindestens einige Minuten lang ruhig stehen, wenn man die Zügel zum Boden hängen läßt, egal, was ringsum geschieht. Daran erkennt man, daß das Pferd seinem Reiter volles Vertrauen entgegenbringt. Natürlich wird auch das Westernpferd auf Leistung trainiert; im Vordergrund aber steht eine sehr sorgfältige und solide Erziehung. Das Ergebnis ist ein Pferd, auf das du dich in jeder Situation verlassen kannst, weil es immer weiß, was du von ihm verlangst.

Am langen und am kurzen Zügel

Der Westernreiter erwartet etwas anderes als der «Herrenreiter», aber auch im eigentlichen Reitstil gibt es grundlegende Unterschiede. Im europäischen Stil wird das Pferd «versammelt». Es «steht am Zügel», nennt man das auch, und das heißt: Die Hände des Reiters sind über die mehr oder weniger stark angezogenen Zügel ununterbrochen im Kontakt mit dem Pferdemaul. Die Zügel werden in beiden «Fäusten» gehalten. Gleichzeitig «stößt» der Reiter durch Einwirkung mit den Schenkeln, mit dem Gesäß und dem Kreuz das Pferd. Man sagt dazu auch, es «steht an den Hilfen», damit es «nicht auseinanderfällt» – die Pferdefachsprache ist halt manchmal etwas merkwürdig.

Ganz anders sieht das aus beim Westernpferd. Hier werden die Zügel mit zwei, drei Fingerspitzen gehalten und hängen lose durch, so daß das Pferd Kopf und Hals frei bewegen kann. Der verhältnismäßig schwere Kopf und der lange Hals spielen in der schnellen Fortbewegung eine wichtige Rolle zur Erhaltung des Gleichgewichtes. Sie wirken

ähnlich wie die Balancierstange eines Seiltänzers. Ein Pferd, das mit einem freien Hals geht, kann sein Gewicht viel besser ausbalancieren und ist damit viel sicherer. Aus diesem Grund stürzen Westernpferde viel seltener.

Angetrieben und gelenkt wird das Pferd mit den Schenkeln (praktisch nie mit den Sporen), mit dem

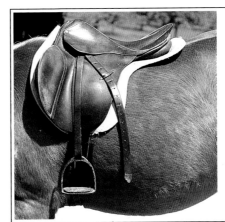

Europäischer Sattel

Dem europäischen Reitstil angepaßt; als Dressur-, Spring- und Vielseitigkeitssattel gebaut. Vorteil: wenig Gewicht. Nachteil: eher flacher Sitz, kleine Auflagefläche.

Westernsattel

Dem Westernstil angepaßt, in vielen Variationen gebaut. Vorteile: tiefer, sicherer, bequemer Sitz, große Auflagefläche. Nachteile: großes Gewicht (kein Problem für das Pferd); teuer.

Wandersattel

Ein speziell für das Wanderreiten entwickelter Sattel, der einen tiefen, sicheren Sitz bietet, leichter ist als ein Westernsattel, aber weniger Auflagefläche hat und ebenfalls nicht billig ist.

Gesäß und durch Verlagerung des Körpergewichtes nach vorn oder hinten, nach links oder rechts. Schnalzen und andere Laute spielen ebenfalls eine wichtige Rolle. Ein «Hooo» genügt bei einem gutausgebildeten Westernpferd, um auch aus dem Galopp eine «Vollbremsung» zu machen, einen sogenannten «Sliding stop».

Das «fertige» Westernpferd wird meistens mit einer Kandare geritten, also mit einem «Gebiß» oder Mundstück, das durch seine seitlichen Hebel auf das Pferdemaul recht schmerzhaft wirken kann, wenn man kräftig am Zügel zieht. Aber die Kandare dient nur als «Notbremse». Ein gutes Westernpferd kann mühelos auch mit dem Stall-

halfter oder sogar ganz ohne Zaum und Zügel geritten werden. Es gibt sogar Wettbewerbe, in denen ohne Kopfzeug (Zaum und Zügel) geritten wird. Im Gelände allerdings wird der kluge Reiter nie ohne Zügel reiten. Hier braucht man zur Sicherheit die «Notbremse», vor allem, wenn man Straßen überqueren muß.

Zur Ausbildung junger Westernpferde verwendet man keine Kandare, sondern eine Hackamore oder eine ganz gewöhnliche Wassertrense (siehe Abbildungen auf Seite 22). Die Hackamore hat kein Mundstück, sondern ist nur eine Art Zaum, bei dem das feste Nasenteil (Bosal) aus Rohhaut, der ziemlich dicke Zügel (Mecate) aus Pferde-

oder Kuhhaar und Hanf geflochten ist. Die echte Hackamore ist eine hervorragende, sanfte Ausbildungszäumung. Sie darf aber nicht mit der «mechanischen Hackamore» verwechselt werden. Diese hat zwar auch kein Gebiß, besteht aber aus einem Nasenriemen, einer Kinnkette und zwei seitlichen Stangen, ähnlich wie bei einer Kandare. Sie wirkt durch Druck auf Kinn und Nasenbein und kann eine scharfe, schmerzhafte Zäumung sein.

Beim Westernreiten gibt man die «Hilfen» – also die Signale mit Schenkeln, Gewicht, Zügeln und Stimme – nur dann, wenn sie erforderlich sind. Man nennt das auch Signalreiten. Man läßt das Pferd seine Sache tun, wie es das bei einer guten Ausbildung eben gelernt hat, und gibt ihm nur dann ein Signal, wenn man dazu auch einen Grund hat.

Wenn du dir das alles genau überlegst, wird es dir einleuchten, daß ein Pferd, das seine Aufgaben kennt und sich auch unter dem Reiter möglichst frei bewegen kann, zufriedener und darum auch zuverlässiger ist als ein Reittier, das ständig vorn gebremst und hinten getrieben wird, nur damit es einen hübschen, hochgewölbten Hals macht und eine gute Figur zeigt.

Übrigens, zum Westernreiten eignen sich natürlich nicht nur «die Amerikaner» wie Quarter Horses, Appaloosas oder Pintos, sondern grundsätzlich alle Pferde- und Ponyrassen.

Sinnvolles Monstrum: der Westernsattel

Man braucht nicht unbedingt einen Westernsattel, um im Westernstil reiten zu können. Aber ein guter Westernsattel, der dem Pferd oder Pony und auch deinem Hinterteil paßt, ist auf jeden Fall besser als ein europäischer Reitsattel. Er ist zwar grö-

---

Linke Seite: Meisterhaft – im Westernstil ausgebildeter Vollblut-Araberhengst an einer Western-Reitkonkurrenz. Auch in Europa gibt es inzwischen ausgezeichnete Western-Reitschulen und -Wettkämpfe, an denen man erstklassig geschulte Reiter und Pferde bewundern kann.

Rechts, von oben nach unten: Aller Anfang ist schwer: Nina und Kim bei ihrer allerersten Western-Reitstunde. Zur Sicherheit sind die Quarter Horses noch an der Longe.

ßer und schwerer, aber die paar Pfunde machen dem Pferd nichts aus und bereiten höchstens dir Schwierigkeiten beim Satteln. Ein «ausgewachsener» California-Sattel wiegt immerhin 12 bis 15 Kilogramm, ein Texas-Sattel sogar 15 bis 20 Kilogramm. Es gibt aber auch bedeutend kleinere Sättel für Ponys, für Kinder und Jugendliche, und vor allem auch Sättel, deren Unterbau, der Sattelbaum, nicht aus Holz, sondern aus Kunststoff besteht. Dadurch sind sie wesentlich leichter und auch billiger. Ein wichtiges Merkmal des Westernsattels ist, daß er auf einer großen Fläche auf dem Pferderücken aufliegt. Dadurch wird das Gewicht viel besser verteilt, und mit einem gutsitzenden «Western» sind Satteldrücke fast nicht möglich – bei europäischen Sätteln entstehen sie häufig. Die weißen Haarstellen auf der Sattellage so mancher europäischer Pferde beweisen es.

Genauso bequem wie für das Pferd ist ein passender Westernsattel auch für dich. Und dafür bist du dankbar, wenn du einmal einen richtigen Wanderritt machst. Außerdem ist er viel sicherer, weil er vorn und hinten bedeutend stärker hochgezogen ist und du also viel tiefer drin sitzt. Sicherer ist er auch, weil er mit schweren Steigbügeln aus Holz ausgerüstet ist. Die Gefahr, bei einem Sturz darin hängenzubleiben und vom Pferd nachgeschleift zu werden, ist bei solchen Bügeln kleiner.

Ein guter Westernsattel war schon vor hundert Jahren nicht billig. Damals kostete er zehn- bis zwanzigmal soviel wie ein unausgebildetes, «grünes» Pferd oder etwa soviel wie der Jahresverdienst eines Cowboys. Aber er hielt normalerweise für das ganze Leben. Solange du im Wachstum bist, hat ein teurer Sattel aber wenig Sinn. Besser ist es, einen guten gebrauchten Sattel zu suchen, als den billigsten Neusattel auszuwählen.

Links, von oben nach unten: Verschiedene Geschicklichkeitsaufgaben, vom Slalom in allen Gangarten über Rückwärtsübungen bis zum Öffnen und Schließen des Gatters vom Sattel aus, fördern das harmonische Zusammenspiel zwischen Reiter und Pferd.

Rechte Seite: Rennen macht zwar Kindern und Ponys gleichermaßen Spaß, kann aber auch recht gefährlich werden.

Sport und Spiel

Sicher haben schon vor 5000 Jahren Hirtenmädchen und -jungen in den eurasischen Steppen einander zugerufen: «Wetten, daß mein Pferd schneller ist als Deins!» Und ab ging's im stiebenden Galopp. Die Freude am Spiel und einen Schuß sportlichen Ehrgeiz haben wir alle im Blut; dagegen ist nichts einzuwenden. Aber eines dürfen wir nie vergessen: Unser Pferd ist keine Maschine, kein mechanisches Sportgerät, sondern ein Lebewesen.

Deshalb ist es ganz wichtig, daß wir uns die Frage stellen, ob eine Pferdesportart auch tatsächlich pferdegerecht ist, ob sie dem Wesen und den natürlichen Fähigkeiten des Pferdes auch entspricht. Das ist nämlich durchaus nicht immer der Fall.
In den meisten Ländern Europas sind Wettbewerbe für Jugendliche und Ponys fast immer entweder Rennen oder Springprüfungen. Gegen den Rennsport ist eigentlich nichts einzuwenden. Er entspricht dem Wesen des Pferdes und ist eine ausgezeichnete Leistungsprüfung, wenn es darum geht, Tiere für die Zucht auszuwählen. Der Ponyrennsport ist aber trotzdem nicht unbedingt das

Richtige. Erstens sind Ponyrennen nicht ungefährlich. Stürze sind nicht selten, und manchmal kommt es zu schweren Verletzungen. Zweitens wollen viele auf Rennen trainierte Ponys bei jeder Gelegenheit lospreschen und sind daher alles andere als ideale Reittiere fürs Gelände. Und schließlich werden für diesen Sport immer öfters besonders schnelle Ponys gezüchtet. Man deckt sportliche Ponystuten mit Vollblut- oder Araberhengsten gezwungen, manche mit brutaler Gewalt. Außerdem ist das Springen eine starke Belastung für die Beingelenke. Viele Pferde und Ponys müssen in jungen Jahren getötet werden, weil ihre Beine durch den Springsport «unbrauchbar» wurden. Sehr viel besser sind zahlreiche Reitspiele und gute Geschicklichkeitsprüfungen. Sie können genauso

ders schnelle Ponys gezüchtet. Man deckt sportliche Ponystuten mit Vollblut- oder Araberhengsten. Daraus entstehen elegante Pferdchen, die aber ein überschäumendes Temperament haben, schreckhaft und oft kaum zu halten sind.

Noch viel problematischer ist der Springsport. Er ist eindeutig nicht pferdegerecht. Pferde und Ponys springen ungern von Natur aus. Bei vielen Pferden ist es zwar möglich, eine gewisse Freude am Springen zu wecken, aber dazu braucht es großes Fachwissen und sehr viel Einfühlungsvermögen. Die meisten Springpferde werden zum Sprin-

Oben: Springsport – populär, aber nicht pferdegerecht. Gute Geschicklichkeitswettbewerbe sind für Pony und Reiter in jeder Beziehung besser.

Rechte Seite, oben: Barrel Racing oder Tonnen-Rennen. Im Dreieck aufgestellte Tonnen werden in kleeblattförmiger Bahn umritten. Das macht Spaß und fördert das Gleichgewicht.

Rechts: Voltigieren, Turnen am Pferd, das (normalerweise) in langsamem Galopp im Kreis geht. Auch das ist guter Pferdesport.

Ganz rechts: Orientierungsritt auf einer Wanderreiterprüfung. Zur selben Prüfung gehört auch ein Geschicklichkeits-Wettbewerb. Das ist erstklassiger Pferdesport.

spannend sein wie ein Rennen. Bei einer guten Geschicklichkeitsprüfung hat nicht das schnellste (teuerste) Pony oder Pferd die besten Chancen, sondern dasjenige, das mit Geduld und Einfühlungsvermögen ausgebildet und trainiert wurde und besonders gut mit seinem Reiter harmoniert. Die Aufgaben sind so gestellt, daß sie vor allem die Geschicklichkeit, die Sicherheit und die Zuverlässigkeit fördern. Nicht umsonst gehören zum Beispiel zu Wanderreiterprüfungen nicht nur Orientierungs- und Distanzritte, sondern auch Geschicklichkeitstests. Denn ein für solche Konkurrenzen gut trainiertes Pferd ist immer auch ein gutes Geländepferd – und das ist es ja, was wir wollen

Schritt, Trab, Galopp …

Was ein Pferd mit seinen vier Beinen so alles kann!
Unten: Nina auf einem Quarter Horse im Schritt (links),
Kim auf einem Quarter Horse im Trab (rechts), darunter
nochmals Nina, diesmal im Galopp.

geboren sind: den Schritt als langsamste, den Trab als mittelschnelle und den Galopp als schnellste Gangart. Manche Pferde – und übrigens auch die Kamele – haben zusätzlich eine natürliche Veranlagung zum Paßgang. Beim normalen Schritt ist die Fußfolge rechts-vorn, links-hinten, links-vorn, rechts-hinten usw. in einem Viertakt. Beim Paß je-

Als Zweibeiner haben wir nur eine Grundgangart. Ob wir nun gehen oder rennen, wir setzen stets abwechselnd den linken und den rechten Fuß auf den Boden. Mit seinen vier Beinen hat das Pferd natürlich viel mehr Möglichkeiten. Es kann seine Füße in verschiedenartiger Reihenfolge heben und aufsetzen. Es gibt Fachleute, die von nicht weniger als zwölf Gangarten sprechen. In Wirklichkeit gibt es aber nur vier Grundgangarten: Schritt, Trab, Galopp und Paßgang. Alles andere sind Variationen aus diesen vier Gangarten, ob sie nun Tölt, Amble, Rack, Running Walk, Stepping Pace, Single Foot, Fox Trot oder wie auch immer heißen. Die meisten Bezeichnungen für Gangarten stammen aus Amerika und werden auch im Deutschen so verwendet. Sicher kennst du die drei Gangarten, die jedem Pferd an-

doch ist die Fußfolge rechts-vorn – rechts-hinten (gleichzeitig), links-vorn – links-hinten in einem Zweitakt. Um das leichter zu begreifen, kannst du es einmal auf allen vieren nachmachen.

Für einige Pferderassen ist der Paßgang typisch, zum Beispiel für die Isländer, die südamerikanischen Pasopferde und für gewisse amerikanische

schen, werden für teures Geld gehandelt. Dadurch ist allerdings auch ein Problem entstanden: Für manchen Reiter von sogenannten Gangartenpferden sind die Gangarten wichtiger als das Pferd. Das Training auf die Wettbewerbe hin steht im Vordergrund. Durch Beschweren der Hufe, durch spezielle Hufbeschläge und andere Tricks versucht

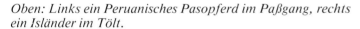

Oben: Links ein Peruanisches Pasopferd im Paßgang, rechts ein Isländer im Tölt.

Traber, die sogenannten Pacers. Alle Pferde mit Paßgangveranlagung haben auch die Anlage zum Tölt. Vereinfacht ausgedrückt ist der Tölt eine Variation zwischen Paß und normalem Schritt. Im Mittelalter waren bei uns Paßgänger sehr begehrt. Man nannte sie damals «Zelter». Später gerieten Paß und Tölt bei uns fast in Vergessenheit. Doch in Island und in verschiedenen anderen Ländern blieben diese Gangarten bestehen, vor allem weil sie für den Reiter bequem sind. Und mit den Islandponys wurden sie in den letzten Jahren auch bei uns wieder bekannt. Seit Jahren werden hier auch Gangarten-Wettbewerbe veranstaltet, und Ponys, die Paß und Tölt besonders gut beherr-

man, die Gänge zu «verbessern». Die Gefahr, daß das Pferd zum Sportgerät für ehrgeizige Reiter wird, ist groß. Aber immerhin gibt es bei uns Vorschriften, die das Schlimmste verhindern.

Ganz anders sieht das etwa in Amerika aus. Dort gibt es nicht nur ausgezeichnetes Westernreiten und hervorragende Reitspiele, die Gymkhanas, sondern auch das Schau-Gangreiten, für das vor allem die Tennessee Walking Horses und die American Saddle Horses bekannt sind. Was hier passiert, ist die reine Tierquälerei: Zum Beispiel werden die Vorderfüße mit dicken Klötzen beschwert, und locker um die Fesselgelenke gelegte Ketten schlagen bei jedem Schritt schmerzhaft auf den oberen Rand des Hufes (Hufkronenrand), damit das Pferd die Beine möglichst hoch anhebt. Mit Reiten hat so etwas nichts mehr zu tun!

Vorbeugen ist besser ...

Bei Pferden, die dich so aufgeweckt und zufrieden anschau en wie diese zwei Lipizzaner, kannst du fast sicher sein, daß sie kerngesund sind.

Ponys und Pferde, die im Offenstall gehalten werden, sind zwar weit weniger anfällig für Krankheiten als Stallpferde, aber auch sie können einmal krank werden. Weil Vorbeugen besser ist als Heilen, impfen wir unsere Pferde. Es gibt eine kombinierte Schutzimpfung gegen Wundstarrkrampf und Virushusten (Skalma). Beim jungen Pferd erfolgen die ersten zwei Impfungen mit etwa neun Monaten im Abstand von sechs Wochen, danach wird einmal jährlich nachgeimpft. In Gegenden mit Tollwut muß unbedingt auch gegen diese gefährliche Krankheit geimpft werden. Und wenn der Tierarzt schon am Impfen ist, soll er auch gleich die Zähne kontrollieren. Das ist sehr wichtig. Die Zähne nützen sich nämlich manchmal unregelmäßig ab und müssen nachgefeilt werden. Wichtig sind außerdem regelmäßige Wurmkuren, zweimal im Jahr, und zwar im Frühling vor dem ersten und im Herbst nach dem letzten Weidegang. Beim Tierarzt erhältst du Mittel zum Entwurmen. Vor allem Nordponys werden im Sommer manchmal von Sommerekzemen befallen. Diese Hautkrankheit löst hauptsächlich am Mähnen- und Schweifansatz und am Bauch starken Juckreiz aus. Hast du so einen Patienten, muß der Tierarzt kommen. Er wird dir sagen, welches Mittel zur Zeit am wirksamsten ist, oder ob es inzwischen eine Schutzimpfung gegen Sommerekzeme gibt. Wenn du dich täglich mit deinem Pferd beschäftigst, wirst du von selbst merken, wenn etwas nicht mehr stimmt. Einige Anzeichen, die einen Tierarztbesuch ratsam machen: Appetitlosigkeit, auffallende Teilnahmslosigkeit, trübe Augen, Unruhe, übermäßiges Scharren, struppiges Haar, Abmagern, Durchfall, dunkler Urin, rasselnde Atemgeräusche, Husten, Lahmen, Schwitzen oder auffallend schnelles Atmen, ohne gearbeitet zu haben.

Die Rassen

Manche erkennt man auf den ersten Blick, zum Beispiel den blondschöpfigen Haflinger (unten) oder das wildfarbene Fjordpony (darunter).

In vielen Pferdebüchern kannst du lesen, daß alle Hauspferde- und Ponyrassen vom Przewalskipferd abstammen. Irgendein Pferdebuchautor, der es nicht besser wußte, hat das einmal geschrieben, und andere plappern es ihm bis heute nach. Inzwischen wissen wir aber mit Sicherheit, daß es, über Europa und Asien verbreitet, eine ganze Reihe verschiedener Typen von Urwildpferden gab und daß mehrere dieser Wildpferderassen gezähmt und gezüchtet, zu Haustieren gemacht (domestiziert) wurden.

Schon vor einigen tausend Jahren begann man gezielt, besondere Merkmale von Pferden herauszuzüchten. Das heißt, zur Fortpflanzung wurden Stuten und besonders Hengste gewählt, bei denen bestimmte Eigenschaften wie Schnelligkeit, Kraft, Trittsicherheit, Ausdauer, Eleganz usw. speziell ausgeprägt werden. So entstanden aus verschiedenen ursprünglichen Typen und durch die Zucht im Laufe der Zeit einige hundert Pferde- und Ponyrassen. Manche davon bewähren sich heute als Kinder- oder Familienpferde besonders gut. Von diesen stellen wir auf den folgenden Seiten die bei uns bekanntesten vor.

Unten, von links nach rechts: Für die Jüngsten das Shetlandpony (um 100 cm). Zahlreiche Rassen gibt es für Größere im Stockmaß zwischen 120 und 135 cm, hier ein Welshpony. Extravagantes Westernpferd: Appaloosa (um 150 cm). Schon recht anspruchsvoll: europäisches sportliches Reitpferd (um 165 cm).

Shetlandpony

Robust, anspruchslos, liebenswürdig und manchmal ziemlich eigenwillig: Ein Pferdezwerg, der nicht verhätschelt werden darf.

Schon vor über 2000 Jahren halfen sie auf den Shetlandinseln nördlich von Schottland unermüdlich den Bauern und Fischern. In den letzten 50 Jahren wurden sie in aller Welt zu den beliebtesten Kinderponys. Trotz ihrer geringen Größe (um 100 Zentimeter) sind Shettys außergewöhnlich robust und sollten auf jeden Fall im Offenstall gehalten werden. Von Natur aus haben sie einen sehr freundlichen, wenn auch recht eigenwilligen Charakter. Sie werden leicht über 30, manchmal über 40 Jahre alt.

Islandpony

Der Unverwüstliche aus dem Norden. Ein glänzendes Wanderpony, auch für Erwachsene, aber nicht immer kinderleicht im Umgang.

Fjordpony

Gelassen, ausgeglichen, kraftvoll, ein Familienpferd, wie man es sich zuverlässiger kaum wünschen kann

Haflinger

Der Kaltblüter aus den Tiroler Bergen mit einem «Schuß» Arabertemperament. Gut zum Reiten, aber noch besser zum Einspannen.

Vor über 1000 Jahren besiedelten norwegische Wikinger die abgelegene Insel Island und brachten auf ihren offenen Schiffen Rinder, Schafe und Ponys mit. Im Inneren der Insel sind die Ponys heute noch das wichtigste Transportmittel. Dank ihrer Kraft und Anspruchslosigkeit und des guten Charakters, aber auch wegen ihrer Veranlagung zu Paß- und Töltgangart, wurden die «Isländer» in vielen Ländern zu den beliebtesten Familienpferden. Sie sind als Wanderreittiere hervorragend geeignet.

Typisch für das norwegische Fjordpony ist die Falbfarbe (Wildfarbe). Wegen dieser Farbe glauben viele Leute, es stamme direkt vom wilden Przewalskipferd ab — was sicher nicht stimmt. Der genaue Ursprung ist allerdings nicht bekannt. Seine Vorfahren waren wahrscheinlich die gleichen zähen Ponys, welche die Wikinger mit nach Island genommen hatten. Die norwegischen Bauern züchteten daraus ein muskelbepacktes Kleinpferd mit Kaltbluteinschlag. Durch die bestimmte Auswahl der Zuchttiere entstand vermutlich die vorherrschende Falbfarbe. Traditionsgemäß wird dem Fjordpony die Mähne gestutzt — wozu dies gut sein soll, weiß niemand.

In den letzten Jahrzehnten wurde ein leichterer Reittyp gezüchtet, und damit ist eines der besten Familienpferde entstanden, das eine noch viel weitere Verbreitung verdient hätte. Immerhin wird es heute in vielen Ländern nachgezüchtet.

Die Blondschöpfe gehören heute in ganz Mitteleuropa zu den bekanntesten Familienpferden. Schon im Mittelalter sind in den Tiroler Bergen starke, fleißige Arbeitspferde gezüchtet worden. Seit 1874 werden sie als Rasse gezogen. Schon damals wurde Araberblut eingekreuzt, damit die kleinen Kaltblüter lebhafter und eleganter wurden. Noch heute steht der Haflinger unverkennbar im Kaltbluttyp, auch wenn immer wieder einmal zur Verbesserung der Reiteigenschaften Araberhengste in der Zucht eingesetzt wurden. Er ist ein kräftiges Familienpferd mit etwa 140 Zentimeter Widerristhöhe, gut geeignet für Wanderritte, vor allem aber ein Pferd zum Einspannen am bäuerlichen Wagen. Er hat im allgemeinen einen gutartigen Charakter, auch wenn er zuweilen recht dickköpfig sein kann.

Dank seiner Robustheit, Anspruchslosigkeit und der sympathischen Ausstrahlung wird er heute in über 20 Ländern nachgezüchtet.

Welshpony

Sehr liebenswürdiger Charakter, aber manchmal etwas überschäumendes Temperament. Hier eine Welsh-Stute aus der Sektion K.

Welsh Cob

Kraftvoller Adel. Gehört in jeder Beziehung zu den allerbesten Familienpferden. Hier eine trächtige Stute.

Oben: Trocken, edel und ausdrucksvoll: Da war Araberblut mit im Spiel! Ganz oben ein Welshpony aus der Sektion K, darunter ein Welsh Cob.

Neben Shettys und Isländern fand das Welshpony die stärkste Verbreitung. Es stammt von den schnellen, zähen Pferdchen der Kelten ab, die sich im Hügelland von Wales im Südwesten von England niedergelassen hatten. Häufig wurden andere Rassen eingekreuzt. Vor allem der Arabereinfluß ist oft deutlich zu erkennen. Welshponys werden in verschiedenen Größen und Typen gezüchtet. Einteilung in fünf Kategorien oder Sektionen:
Sektion A: Welsh Mountain Pony, bis 122 Zentimeter hoch, kräftig, aber feingliedrig, mit zierlichem, ausdrucksvollem Araberkopf. – Sektion B: Derselbe Typ, aber 122 bis 137 Zentimeter hoch. – Sektion C: Gleich groß, deutlich massiger und kraftvoller; auch Welshpony im Cobtyp genannt. – Sektion D: Der Welsh Cob – siehe rechte Spalte. – Schließlich Sektion K: Ponys, in deren Abstammungspapieren man einen oder mehrere Araber findet. Sie können bis über 148 Zentimeter hoch sein und sind oft bildschön.

Auch der Welsh Cob wird heute in vielen Ländern nachgezüchtet, aber bei weitem nicht so häufig wie andere Familienpferde-Rassen. Das ist verwunderlich, denn er hat hervorragende Eigenschaften. Unter der Bezeichnung Cob versteht man einen ganz bestimmten Pferdetyp: Ein mittelgroßes, sehr kraftvoll und gedrungen gebautes Pferd mit verhältnismäßig kurzen Beinen, das auf den ersten Blick an ein leichtes Kaltblut erinnert, aber nicht zu den Kaltblütern gehört. Trotz des wuchtigen Körperbaus hat der Welsh Cob sehr gute Reiteigenschaften, geht fleißig im Schritt, zügig im Trab, hat einen erstaunlich schnellen, ausdauernden Galopp und überspringt ohne weiteres auch einmal einen Baumstamm oder einen kleinen Bach. In seiner Heimat ist er ein beliebtes Jagdpferd. Dank seines ausgezeichneten Charakters kann er von Kindern geritten werden, trägt aber mühelos auch schwergewichtige Erwachsene. Dieses prächtige Familienpferd wird manchmal über 150 Zentimeter hoch.

New Forest Pony

Einheitlich sind nur der gute Charakter und die guten Reiteigenschaften. In Größe und Typ gibt es riesige Unterschiede.

Dartmoorpony

Englisches Moorpony mit unverkennbarem Shetty-Finschlag. Gilt als eines der feinsten Kinderponys.

Mazedonier

Zierlich, aber unverwüstlich. In seiner Heimat fast vergessen, aber vor allem in der Schweiz liebevoll nachgezüchtet.

Während man einen Haflinger, einen Isländer oder ein Fjordpony sofort erkennen kann, ist das beim New Forest Pony auch für den Fachmann nicht möglich, weil es ganz verschieden aussehen kann. Im New Forest, einem großen Wald- und Moorgebiet südlich von London, gab es schon vor 1000 Jahren wildlebende Ponys. Schon früher ließ man manchmal Englische Vollblut- und Araberhengste frei mit den Herden laufen, um größere, schnellere Reitponys zu erhalten. Auch andere Rassen wurden in die halbwilden Ponys eingekreuzt. Die Ponys, die heute noch fast das ganze Jahr hindurch frei im New Forest herumlaufen, werden zwar seit etwa 50 Jahren als Rasse rein gezüchtet. Trotzdem können sie immer noch nur 120 Zentimeter hoch sein und wie richtige Ponys aussehen. Andererseits gibt es sie auch als elegante, leichte Reittiere von bis zu 147 Zentimeter Höhe. Durchwegs sind sie recht temperamentvoll und zeichnen sich durch einen sehr freundlichen und zutraulichen Charakter aus.

Viele Leute halten das Dartmoorpony für das beste Kinderpony. Es hat ein aufgewecktes, aber sehr ausgeglichenes Temperament und einen außergewöhnlich freundlichen, zuverlässigen Charakter. Heute noch leben Dartmoorponys wie vor vielen hundert Jahren halbwild im Dartmoor im Südwesten von England. Früher standen sie, wie das benachbarte Exmoorpony, den Urponys aus der Eiszeit nahe. Im letzten Jahrhundert wurden Shetlandponys eingekreuzt, weil man kräftige, aber möglichst kleine Ponys für die Arbeit in den Bergwerksstollen haben wollte. Später wurde das Dartmoorpony durch Einkreuzung von Großpferden wieder «vergrößert». Heute ist es zwischen 120 und 130 Zentimeter hoch, erinnert aber im Aussehen oft noch deutlich an den kleinen Shetländer. Dartmoorponys werden heute in verschiedenen Ländern nachgezüchtet, vor allem in Holland. Leider sind sie aber noch lange nicht so verbreitet, wie sie es wegen ihrer großen Qualitäten verdienen würden.

Die Griechen züchteten schon vor 2500 Jahren verschiedene Pferderassen, von denen die Thessalischen Pferde wohl die bekanntesten waren. Manche Leute glauben, daß die Gebirgspferde im Süden Jugoslawiens, in Mazedonien, von diesen Thessaliern abstammen; sicher ist das nicht. Immerhin erkennt man am Körperbau und am Kopf, daß edle orientalische Pferde bei der Entstehung des Mazedoniers mitwirkten. Nach dem Zweiten Weltkrieg wurden die zierlichen, aber zähen und anspruchslosen Gebirgspferdchen immer weniger gebraucht und auch vom kraftvolleren Bosnier verdrängt. Die Rasse drohte auszusterben. Deshalb wurden vor etwa 15 Jahren ein paar Dutzend Mazedonier aufgekauft, in die Schweiz transportiert und hier versteigert. Heute betreut ein Verband die Weiterzucht dieser Tiere, die wegen ihrer Robustheit und Gutartigkeit als ausgezeichnete, um 130 Zentimeter hohe Reittiere vor allem für Kinder, Jugendliche und leichtgewichtige Erwachsene gelten.

Gotlandpony

Scheint direkt von Urponys aus der Eiszeit abzustammen und lebt noch halbwild auf einer schwedischen Insel.

Bosnier

Als Saumtier in den jugoslawischen Bergen genauso bewährt wie als Familienpferd in Westeuropa.

Kantig, kräftig und ausdrucksstark, wenn auch ein bißchen schwer: der Kopf des amerikanischen Quarter Horse (ganz oben).
Unvergleichlich vornehm und edel: Vollblut-Araber (oben).

Das schwedische Gotlandpony wird in einigen Ländern nachgezüchtet und bewährt sich vor allem in Amerika auch in der Therapie von behinderten Menschen. Schon daraus merkt man, daß diese Tiere einen außergewöhnlich guten und ausgeglichenen Charakter haben. Darüber hinaus sind sie sehr gelehrig und willig, fleißig in allen Gangarten und von unverwüstlicher Gesundheit.

Ähnlich wie das Dartmoorpony hätte auch der Gotländer eine viel größere Verbreitung als Reittier für Kinder und Jugendliche verdient. Immerhin haben die Schweden, die es auch «Skogruss» (Waldpferd) nennen, seine Qualitäten erkannt und züchten es fleißig im ganzen Land. Die Gotländer kommen von der bewaldeten Insel Gotland, wo heute noch einige Herden dieser Tiere fast völlig sich selbst überlassen leben. Man vermutet, daß die etwa 110 bis 130 Zentimeter hohen Ponys von Urwildponys abstammen, die seit der Eiszeit auf Gotland überlebt haben.

Hättest du geahnt, daß es heute in Jugoslawien noch rund eine Million Pferde gibt? Und hast du gewußt, daß die berühmten Lipizzaner von dort stammen? Eine viel wichtigere Rolle allerdings spielen im Land die Bosnischen Gebirgspferde oder Bosniaken. Allein von dieser Rasse gibt es etwa 500 000 Tiere. Vor allem als Tragtiere auf den Saumpfaden der Berge, aber auch als Reit- und Wagenpferde sind sie heute noch unentbehrlich. Während Jahrhunderten kamen immer wieder türkische Kriegsheere nach Jugoslawien, und dadurch wurden die unscheinbaren, aber zähen Gebirgsponys oftmals mit edlen Hengsten der Türken gekreuzt. Der Bosnier hat Ähnlichkeit mit dem Mazedonier, ist aber deutlich kräftiger und im Durchschnitt größer. Schon einige tausend Bosnier wurden in den letzten Jahren in Westeuropa eingeführt und bewähren sich hier als gutartige, leistungsfähige und unermüdliche Familienpferde. Manche von ihnen haben Anlagen zu Paß- und Töltgangart.

Appaloosa

Wurde von den Indianern in verschiedenen Fleckenzeichnungen gezüchtet. Hier eine Leopardenfleck-Stute.

Quarter Horse

Eines der ringsum perfektesten und erfolgreichsten Pferde der Welt, auch wenn man es ihm nicht unbedingt ansieht.

Araber

Vollblut-Araberhengst. Er zeigt uns, daß manchmal auch Araber den Paßgang beherrschen.

Von den Pferden, welche die Spanier nach Amerika brachten, gerieten Tausende in die Hände der Prärieindianer. Die Nez Perce-Indianer in Idaho waren aber offenbar der einzige Stamm, der die Pferde mit System züchtete. Sie wählten gezielt besonders schön gezeichnete, aber gleichzeitig auch harte, schnelle und charakterlich einwandfreie Tiere zur Zucht aus. 1877 überwältigten amerikanische Truppen die Nez Perce und beschlagnahmten ihre Pferde, die nun wegen ihrer Schönheit von weißen Siedlern weitergezüchtet wurden. Mit dem Aufkommen der Westernreiterei gelangten in den letzten Jahren diese auffallenden Pferde, die in vier verschiedenen Fleckenmustern gezüchtet werden, auch zu uns. Über ihre Schönheit hinaus haben sie alle guten Eigenschaften, die ein Familienpferd haben muß, und sie werden daher auch immer beliebter. Aber da heute die Nachfrage bei uns groß ist und die Appaloosas immer noch verhältnismäßig selten sind, kosten sie entsprechend viel.

Das Quarter Horse ist heute das bekannteste Westernpferd, in Amerika wie auch in Europa. Dabei gehört es genaugenommen nicht einmal zu den echten Westernrassen, die von spanischen Pferden abstammen.
In den letzten Jahrhunderten wurden in den amerikanischen Südstaaten Englische Vollblüter, Araber, türkische Pferde und andere Rassen gekreuzt, vor allem weil man schnelle Pferde für die beliebten Rennen über eine Viertelmeile (= Quarter Mile, rund 400 Meter, daher der Name Quarter Horse) haben wollte. Erst seit etwa 50 Jahren werden diese Pferde als Rasse gezüchtet – und dies mit einzigartigem Erfolg. Es gibt kaum ein Pferd, das so viele gute Eigenschaften so perfekt in sich vereinigt wie das Quarter Horse. Obschon der Zuchtverband für diese Rasse erst 1940 gegründet wurde, gab es bereits 1975 eine Million im Register eingetragene Quarter Horses. Damit stellen sie alle anderen Rassen, selbst das in der ganzen Welt gezüchtete Englische Vollblut, weit in den Schatten.

Die Beduinen in der arabischen Wüste brachten die wichtigste Pferderasse der Welt hervor. Nur die besten, härtesten, schnellsten und ausdauerndsten Stuten und Hengste wurden zur Zucht ausgewählt. Dabei ist nicht nur eine ungewöhnlich leistungsfähige, sondern auch die schönste und edelste Rasse entstanden. Der Englische Vollblüter verdankt seine Qualitäten dem Araber, und die meisten Pferderassen der Welt sind durch Araberpferde verbessert worden.
Der Araber ist ein wundervolles, sportliches Freizeitpferd, das sich dank seiner unübertroffenen Ausdauer vor allem auch auf Distanzritten bewährt. Er ist aufmerksam, intelligent, gelehrig, hat einen sehr anhänglichen und liebenswerten Charakter. Er hat aber auch eine anspruchsvolle Persönlichkeit und ein feuriges Temperament und verlangt einen erfahrenen Pfleger und Reiter. Man kann ihn also nicht als problemloses Familienpferd bezeichnen – und selbstverständlich ist ein guter Araber auch nicht gerade billig.

Kleines Lexikon der «Pferdesprache»

Aalstrich. Dunkler, dem Rücken entlang laufender Streifen. Wildpferdemerkmal. Besonders häufig bei Falben (siehe dort).

Abzeichen. Weiße Haarstellen an Kopf und Beinen, die während des ganzen Lebens bleiben und daher als Erkennungsmerkmal im Abstammungsnachweis eingetragen werden.

Albino. Pferde, die mit weißer Haarfarbe und heller Haut geboren werden. Sie haben rote oder hellblaue Augen. Schimmel kommen dunkel zur Welt.

Blesse. Weißer Streifen auf dem Nasenrücken.

Distanzreiten. Sportlicher Ritt über meistens 50 bis 160 Kilometer Distanz.

Edel. Englische und Arabische Vollblüter und andere, besonders schnelle, elegante und temperamentvolle Ponys und Pferde nennt man edel.

Exterieur. Äußerer Körperbau des Pferdes.

Falbe. Wildfarbenes Pferd mit gelbbraunen oder mausgrauem Fell, schwarzen Beinen, Mähnen- und Schweifhaaren und Aalstrich.

Flehmen. Aufnehmen von Gerüchen aus der Luft mit vorgestrecktem Kopf und unter Hochstülpen der Oberlippe. Pferde flehmen auch bei starken Schmerzen.

Gängig. Als gängig bezeichnet man ein Pferd, das fleißig und mit langen Beinbewegungen vorwärtsgeht.

Halbblut. Ein Pferd oder Pony, dessen einer Elternteil ein Englischer oder Arabischer Vollblüter ist. Viele Warmblutpferde sind Halbblüter. (Siehe auch Warmblut, Vollblut.)

Hechtkopf. Kopf mit eingesenkter Nasenlinie. Arabermerkmal.

Hinterhand. Auch Nachhand. Oft bezeichnet man fälschlich die Hinterbeine als Hinterhand. Gemeint ist aber die ganze hintere Hälfte des Pferdes, also der Teil, der «hinter der Hand» des Reiters liegt.

Jährling. Einjähriges Pferd.

Kaltblut. Kraftvolle bis sehr schwere Pferderassen mit ruhigem Temperament. Arbeitspferde. Die Bezeichnung

Kaltblut hat nichts mit der Bluttemperatur zu tun, sie ist gleich wie bei den Warmblutpferden: 37,5 – 38,3° C, bei Fohlen etwa ein Grad mehr. (Siehe auch Warmblut und Vollblut.)

Kleinpferd. Bezeichnung für Ponys mit über 130 Zentimeter Stockmaß (siehe dort).

Kruppe. Die Beckengegend.

Kunden. Kundenspuren. Vertiefungen in den Schneidezähnen, an denen der Fachmann das Alter eines Pferdes bestimmen kann.

Longe. Etwa acht Meter lange Leine, an der das Pferd im Kreis bewegt (longiert) wird.

Maulesel. Kreuzung aus Pferdehengst und Eselstute.

Maultier. Kreuzung aus Eselhengst und Pferdestute; ist meistens größer als der Maulesel.

OX. Bedeutet Arabisches Vollblut, steht hinter dem Pferdenamen.

Paint Horse. Geschecktes Quarter Horse. Andere Schecken nennt man in Amerika Pintos.

Part Bred. Dasselbe wie Halbblut (siehe dort).

Pinto. Geschecktes, amerikanisches, von spanischen Pferden abstammendes Pferd.

Ramskopf. Kopf mit vorgewölbter Nasenlinie.

Rappe. Schwarzes Pferd.

Raufe. An der Stallwand angebrachtes Gestell mit Stäben, zwischen denen das Pferd das Heu herausziehen kann.

Rauhfutter. Das Grundfutter, bestehend aus Heu, Gras und Stroh.

Schweifriemen. Riemen, mit dem man den Sattel an der Schweifrübe (siehe dort) befestigt, damit er nicht vorwärtsrutschen kann. Erforderlich bei Pferden mit wenig Widerrist, z. B. bei vielen Ponys.

Schweifrübe. Der aus den Schwanzwirbeln und Muskeln bestehende obere Teil des Pferdeschweifes.

Stockmaß. Die Höhe eines Pferdes, mit einem Meßstock am höchsten Punkt des Widerristes (siehe dort) gemessen.

Trekking. Mehrtägiges oder -wöchiges Wandern mit Pferden oder Ponys.

Trocken. Edle Pferde haben trockene Gliedmaßen und einen trockenen Kopf. Das heißt, Sehnen und Knochen zeichnen sich deutlich durch die Haut ab und sind nicht von schwammigen Fleisch- oder Fettpolstern bedeckt.

Vollblut. Als Vollblutpferde gelten die seit langer Zeit rein gezüchteten Rassen Englisches Vollblut und Arabisches Vollblut. Es sind die edelsten und temperamentvollsten Pferderassen.

Volte. Eine «Hufschlagfigur». Ein gerittener Kreis von 6 bis 8 Meter Durchmesser.

Voltigieren. Sportart. Turnen an einem Pferd, das an einer Longe (siehe dort) in einem Kreis von 13 bis 14 Meter Durchmesser in versammeltem (langsamem) Galopp geht. Anstelle des Sattels ist ein Gurt mit zwei Haltegriffen.

Vorhand. Die vordere Hälfte des Pferdes, also der Teil, der «vor der Hand» des Reiters liegt. Oft werden fälschlicherweise die Vorderbeine als Vorhand oder gar als Vorderhand bezeichnet. (Siehe auch Hinterhand.)

Wallach. Kastriertes, männliches Pferd. Wallache sind viel einfacher im Umgang als Hengste und oft auch problemloser als Stuten.

Warmblut. Alle edleren Reitpferderassen und alle leichteren Wagenpferde sind Warmblutpferde. Alle wurden im Laufe der Zucht mehr oder weniger stark von Arabischen oder Englischen Vollblütern beeinflußt.

Widerrist. Die mehr oder weniger deutlich erhöhte Stelle am Übergang des Halses in den Rücken.

XX. XX hinter dem Pferdenamen bedeutet, daß es sich um ein reines Englisches Vollblut handelt. Bei Angloarabern steht ein X, bei Vollblutarabern ein OX hinter dem Namen.

Zureiten. Die erste Ausbildungsstufe bei jungen, noch rohen Pferden. Wurde früher oft als «Brechen» oder «Einbrechen» bezeichnet, woran man merkt, daß Pferde oft mit roher Gewalt zugeritten wurden. Dabei geht es sanft und mit Einfühlungsvermögen viel besser.